閉じこめていた 心に とどいた ひとすじの ひかり――

悲しみを乗りこえていく少女の物語

ピーンとつながれ糸（いと）でんわ

作・絵／とくます めぐみ

夏休み一番のお楽しみ。
今年も いなかに 泊まりに来たよ。
おばあちゃんちの におい、
いつも思うけど なんか好き。

うら庭の 物置き小屋。
入ると おこられるから
こっそりと。

ほこりっぽいけど
ひんやりして、
ここも あたしの お気に入り。
古くて ちょっと
変わった物たちが、
ぐっすりと寝てる場所。
起こしちゃうのは 悪いけど、

おくの方には まだまだ
おもしろい物が ありそうなんだ。
お休みのところ おじゃまします と
心の中で つぶやいて、ガサゴソと
いろいろ引っぱり出してたら、
何かが パタンと落ちてきた。

わ、お兄ちゃんの絵日記?!
……6年前のだ。
どれどれ見ちゃおう。

8月1日（月）
今日から8月です。ぼくの夏休み
チャレンジは、一か月 かかさず
絵日記を つけることに しました。
毎日かくのは大変だけど がんばります。

あれぇ 最初は これだけ?!
まあ お兄ちゃんらしいな。

8月2日（火）
今日は、いとこの ケンちゃんちへ、
お母さんと妹と 特急に乗って 行きました。
自由席を買った時、妹が「わーい! 自由な席だって!」
と言いました。すかさず お母さんが

「自由に さわいでも いい席って ことじゃ ないのよ。」
と言いました。ぼくは そんなことは わかっています。
でも、うれしくて さわがないように
気をつけました。

そう、思い出した。
お兄ちゃんは あたしに
自由の ボタンを
押させて くれたんだ。

8月3日（水）
今日、友子おばちゃんから 電話が あって、
あさって 世界の昆虫展に つれて行ってくれる
ことに なりました！ うれしくて とびはねて
いたら、コオロギの気持ちになって、 苦手な
キュウリを けっこう 食べられました。

8月4日（木）
明日は 世界の昆虫展です。
どんな虫に会えるか 楽しみです。

8月5日（金）
今日は、世界の昆虫展に
行きました。一番 かっこよかったのは、

3本のツノがある カブトムシです。 なんと
1匹 30万円でした。 友子おばちゃんが
「あらやだ、 ツノ 1本 10万円?!」
と言いました。 ぼくは ちょっと
ちがうと思い、 苦笑い しました。
カブトムシが スイカを食べていて、
妹が 「おいしそうだね。」 と言ったら、
友子おばちゃんが 「あらやだ、 カブトムシなんて
おいしくないわよぅ。」 と言いました。
ぼくは もっと ちがうと思って ふき出しました。

ぷぷっ あたしは スイカのことを
言ったのに トンチンカンね。

8月6日（土）
しあさっては、おばあちゃんちに
泊まりに行きます。楽しみです！

8月7日（日）
あさっては、おばあちゃんちに
行きます。まち遠しいです。

8月8日（月）
明日から16日間、おばあちゃんちで
過ごします。今からワクワクです。

と書き終えたら、お母さんに
「ずいぶん 手ぬきの 絵日記ねえ。」と

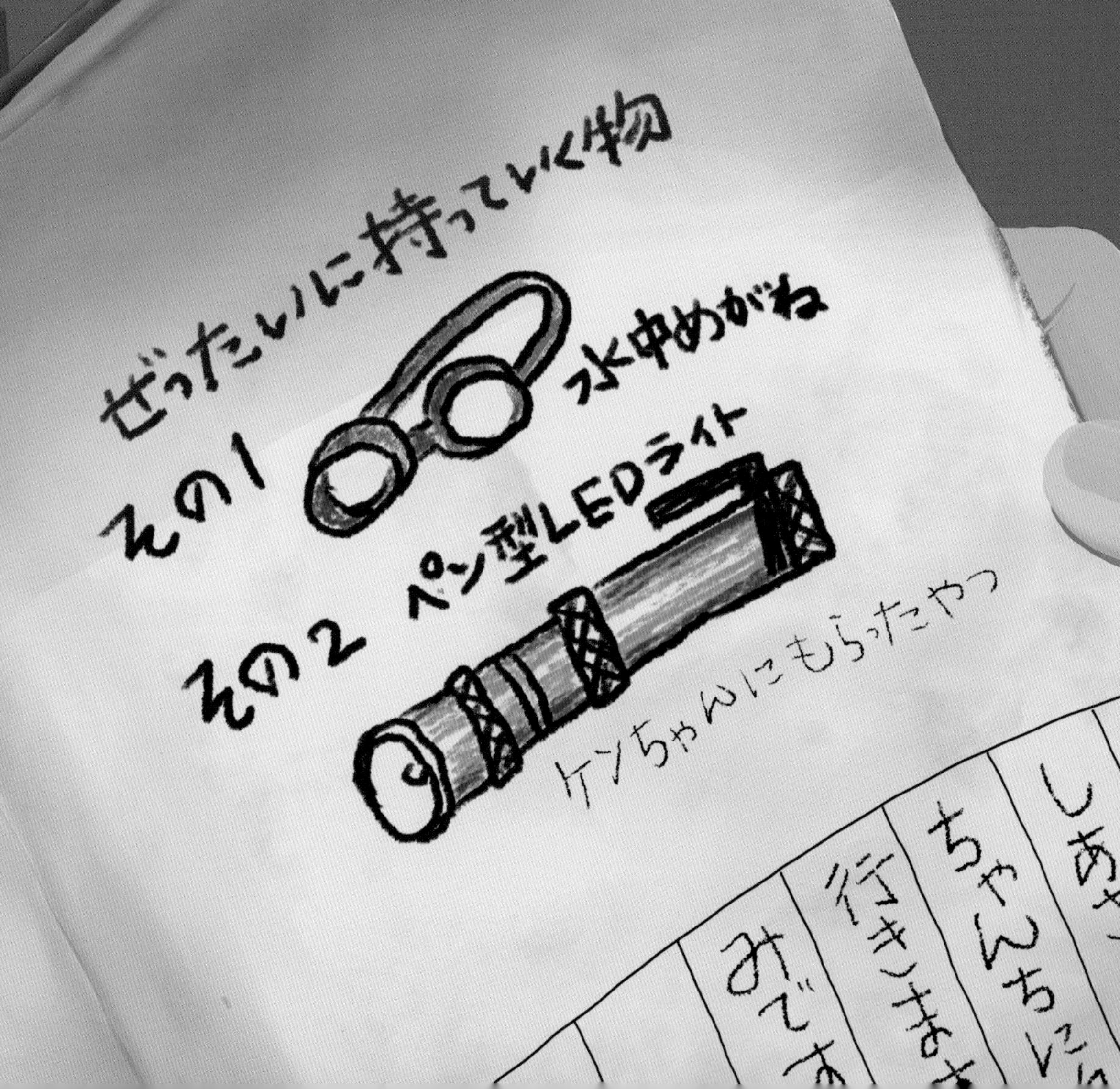

言われました。

「これは 宿題を 早く終わらす 作戦なんだ。」

と 言いかえしたら、

「あきれた！」と おこられました。

でも お母さんの顔は、笑ってました。

お兄ちゃんの作戦は いつも
へんてこだから よくおこられてたけど、
にげ足 はやい お兄ちゃん。
「この足のボタンは、にげる作戦用の
ターボ エンジンのスイッチだ」って
言うから あのころは信じてたよ。
でも、ただの ほくろだったね。

8月9日（火）

今日は、おばあちゃんちに行くので、
新幹線に乗りました。妹が
「やっぱり グリン車は いいね。」
と言うので、
「え？ ここは 普通車両だよ。」
と言いました。
どうやら妹は、席が ぐりんと
回転して 向きあえるのが
グリーン車と思ってたみたいで、
ぼくは ズッコケました。

8月10日（水）

今日は、おさななじみの

山ちゃんたちと
川で遊びました。
ソフトクリームに
そっくりな 雲を見て、
みんなで アイスを買いに走りました。
アイスは たったの６口で
食べ終わって しまいました。
ジャンボジェット機の
翼の上に 席があったら、
雲が 食べ放題なのになあ
と思いました。

食いしん坊のお兄ちゃん！
雲が バニラ味だと いいよね。

8月11日（木）
今日は、みんなで
うら山の どうくつへ
たんけんに 行きました。
中は とても静かで、
ぼくらの声だけが
よく ひびきました。

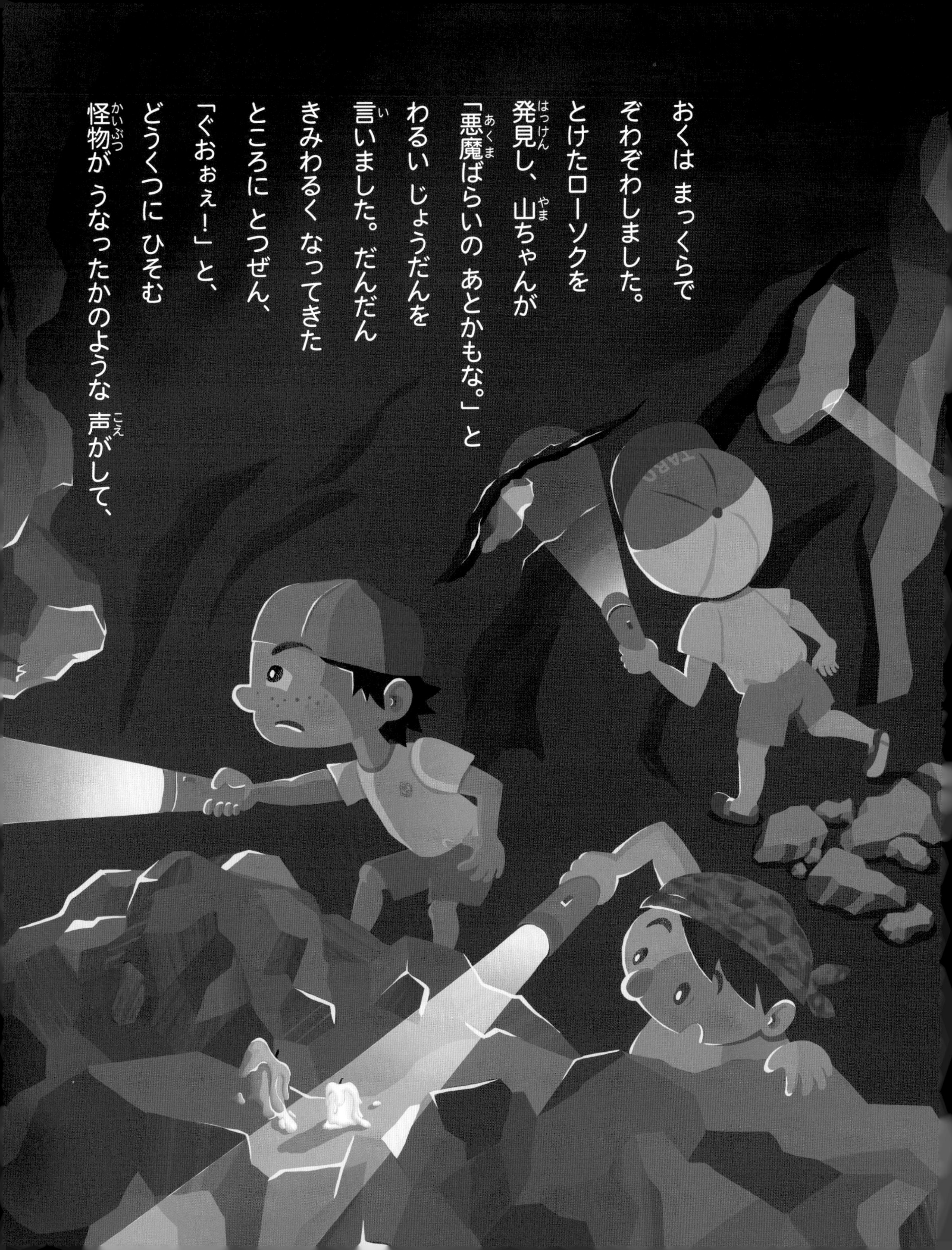

おくは まっくらで
ぞわぞわしました。
とけたローソクを
発見し、山ちゃんが
「悪魔ばらいの あとかもな。」と
わるい じょうだんを
言いました。だんだん
きみわるく なってきた
ところに とつぜん、
「ぐおぉぇ！」と、
どうくつに ひそむ
怪物が うなったかのような 声がして、

みんな　ギョッと　しました。
でもそれは、ヤスベえの
でっかい　ゲップでした！
みんなで　大笑い　しました。
ゲップで　おどろいたのは　初めてです。

まさかのゲップだったけど、
守ろうとしてくれた　お兄ちゃん。
うれしかったな。

8月12日（金）
今日は、 朝から大雨なので、
家で遊びました。
おばあちゃんが
糸でんわを
作ってくれました。
糸をピーンと はると、
声が よく聞こえました。
妹 の 口のまわりに、
紙コップの あとが
丸く ついて おもしろかったです。

ピーンとした糸は、 なんか伝わってくるの 不思議だな。

8月13日（土）
今日は、おぼんの お経をあげに、
お坊さんが来ました。毎年 来てくれるのが
楽しみです。ぼくもメロンが もらえるからです。
お経の「経」の字は、たて糸という意味がある
と 教わりました。

クモの糸は切れちゃうけど、
ほとけ様のは 丈夫で 切れないから安心だって
おばあちゃんが 言ってた。
ほとけ様から まっすぐ届く 糸があれば、
何があっても 大丈夫なんだって。
とうめいの 糸だけど、おばあちゃんには
はっきりと わかるらしい。ほんとかな。

8月14日（日）
今日は夏まつりです。
ヨッシーが ふざけて、
わたあめを ふり回して いたら、
すぽーんと すっ飛んでいって
しまいました。 山ちゃんが
「わたあめは きっと、
雲に なりたかったんだ。」と
半べその ヨッシーを なぐさめ、
ぼくも 心が しびれました。
みんなで 少しずつ ヨッシーに
わたあめを 分けてあげました。

ページを
めくるたびに、
ぶわぁっと
思い出が
あふれてきたよ。
絵日記の 中に入って
みんなと いっしょに
遊んでるみたい！

あれよ あれよと
毎日が過ぎて、
いつも
あっという間に
帰る日に
なっちゃうんだよなあ。

8月25日（木）
今日、お絵かきを してた妹が
急に 泣き出しました。メスの カブトムシが
うまくかけず、ゴキブリみたいに なった
から だそうです。ぼくは、ゴキブリだって
けっこう かっこいいのになあ と
思いました。お母さんが
「がんばって かいた ごほうびに、
今夜は エビフライだあ！」
と言いました。ぼくも
やったあ！ と思いました。

お兄ちゃんみたいに 絵が 上手に
なりたくて、よく お絵かき してたなあ。

あれ？
次のページは
まっ白だ。
さては お兄ちゃん
また手ぬきして、
「まっ白なのは、
雲の中に いるからです」とか？

あ、
いや ちがう。
……そうじゃない。

次の日も、その次の日も まっ白なんだ。

……

お兄ちゃんたら、雲の中で ずっと
食べ放題している つもり？
雲は アイスや わたあめじゃ
ないでしょ。もう！
いいかげん 出てきてよ。
どこに 行ったの？ 絵日記
毎日 かくって 言ったのに。

……まっ白なのは

……

まっ白なページが
始まった この日、

この日が
お兄ちゃんの……
命日に なったんだ。

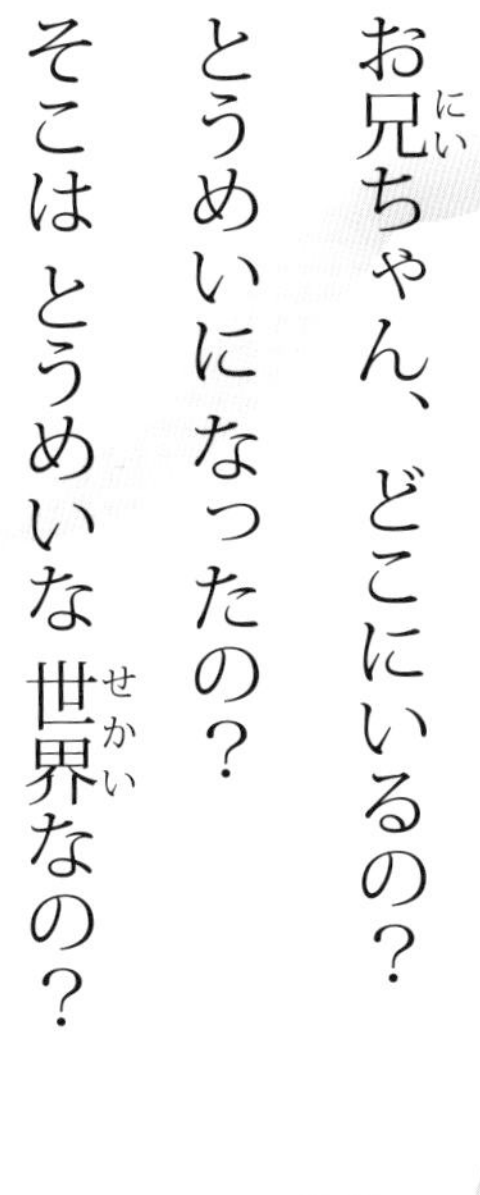

お兄ちゃん、どこにいるの？
とうめいに なったの？
そこは とうめいな 世界なの？
とうめいじゃ、見えないよ。
どうしたら 会えるのよ お兄ちゃん！

もっと いっしょに遊びたいよ
絵も教えてよ　話しが したいよ お兄ちゃん！

……

早く死んで かわいそうな子？
親不孝の ダメな子？
あわれな子？

そして あたしも 不幸な妹？

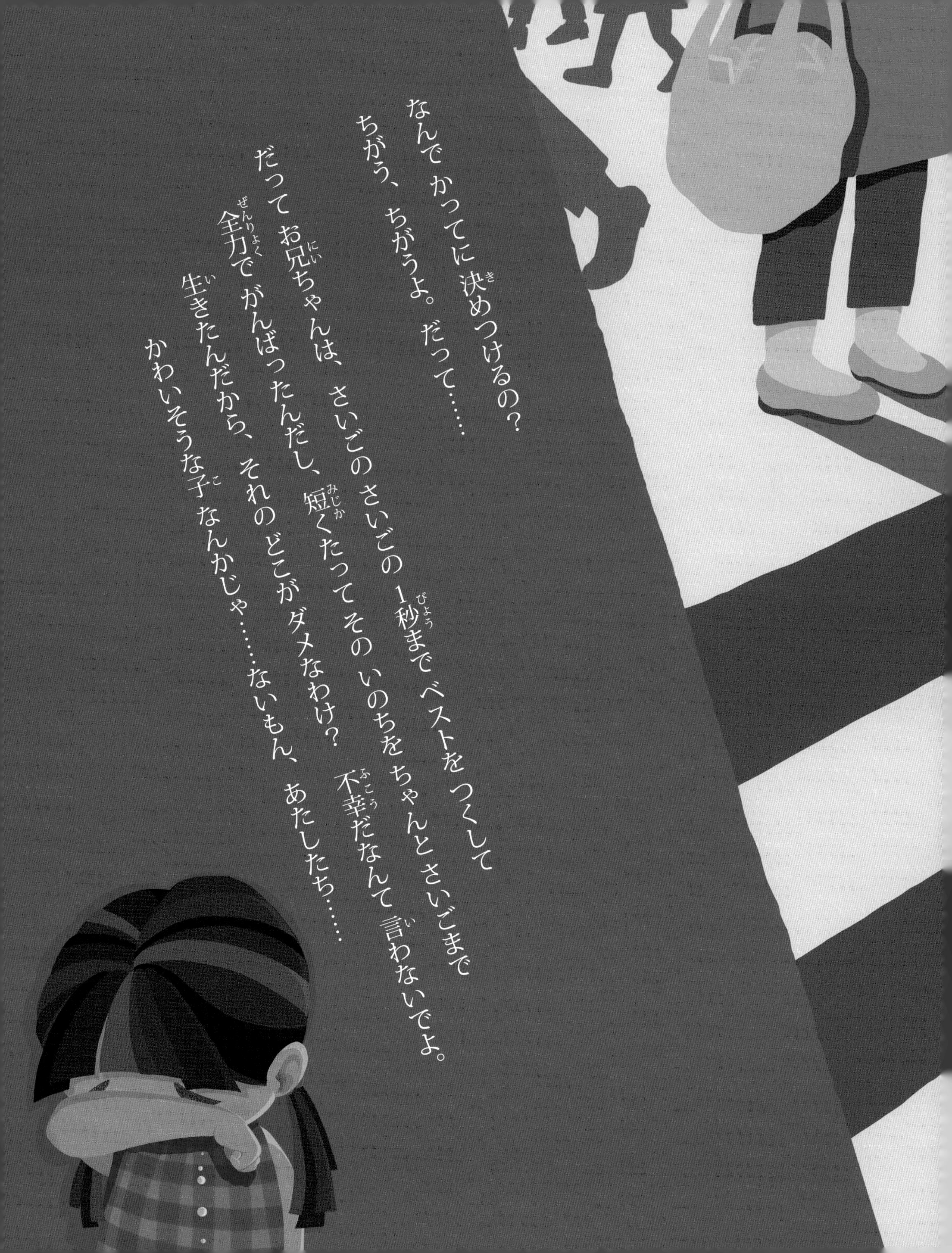

なんで かってに 決めつけるの？

ちがう、ちがうよ。だって……

だって お兄ちゃんは、さいごの さいごの 1秒まで ベストを つくして

全力で がんばったんだし、短くたって その いのちを ちゃんと さいごまで

生きたんだから、それの どこが ダメなわけ？ 不幸だなんて 言わないでよ。

かわいそうな子なんかじゃ……ないもん、あたしたち……

「おやまあ、かぜ ひいちゃうよ。」
おばあちゃんの やさしい声で
起こされた。

「……んだ、安心して 泣けば ええ。
涙は 大地が ちゃんと
受けとめて くださるでなあ。」

うん、ありがと おばあちゃん。

「大地は まるで ほとけ様のようじゃ……。
毎日 幸せを願って
お育て くださるでな。
本当に 尊い はたらきじゃ。

さぁて、 明日は みんなで
お寺に 行くんじゃよ。」

そうだった、
お兄ちゃんの
七回忌の 法事だね。
ほとけ様の 切れない 糸を、
つないで つないで
どんどん つないで 長くすれば、
遠くに 行った お兄ちゃんに
届くかな？
とうめいの 糸でんわ、
つながるかな？

久しぶりの お寺だよ。本堂の 空気は
ピーンとしてて、なんか 独特。

背すじ ピーン。
気持ち ピーン。
糸が ピーン。
あ。

……そうか！
ほとけ様は いつも、
みんなの 幸せを 願って
はたらいてくださってる ってことは、
ほとけ様の お仕事を
お兄ちゃんは 手伝って いるのかも。

妹思いの お兄ちゃんだから、あたしのために はりきって
ほとけ様の お手伝いを してるんだ。

ほとけ様に、これからも
お兄ちゃんを よろしく お願いしますと
ていねいに なむなむして、
お墓も きれいに そうじした。

お兄ちゃんは、あたしが へこむと
ほとけ様のパワーを チャージして
エールを 送ってきてくれる。
とうめいの 糸でんわで
「大丈夫だよ」って 語りかけてくれるんだ。
だから……

お兄(にい)ちゃんも　あたしも
かわいそうな子(こ) だなんて、
そんなわけ ないよね
お兄(にい)ちゃん！

……

そういえば……

おばあちゃんの
言(い)ってたこと、
なんだか……
ほんと みたいね
お兄(にい)ちゃん！

【著者プロフィール】

とくます　めぐみ

東京都出身。グラフィックデザイナー・イラストレーター・習字教室主宰。『ピーンとつながれ糸でんわ』（公益財団法人 仏教伝道協会主催第6回こころの絵本大賞佳作入選作品を改題）で絵本デビュー。東京都在住。

ピーンとつながれ糸（いと）でんわ

2023（令和5）年4月28日　第1刷　発行

作・絵　とくます めぐみ

発行者　木越　渉

発行　東本願寺出版（真宗大谷派宗務所出版部）

〒600-8505　京都市下京区烏丸通七条上る

TEL　075-371-9189（販売）

075-371-5099（編集）

FAX　075-371-9211

印刷・製本　シナノ書籍印刷株式会社

ISBN978-4-8341-0669-5　C8793